こども哲学

きもちって、なに？

インディラに。
きみのあたまをめぐる考えが、
気もちの流れに
とけあってゆくように。

小学校で哲学をやってみたいというわたしたちの夢を実現してくれたナンテール市に、
こんないきあたりばったりの冒険にいっしょに乗りだしてくれた先生たちに、
そして、いっしょうけんめい知恵をしぼって、ことばに生命をふきこんでくれたナンテールのこどもたちに、
この場をかりてお礼を言います。

みなさん、どうもありがとう。

そして、かけがえのない協力者であるイザベル・ミロンにも、心からの感謝を。

Oscar Brenifier : “Les sentiments, c’est quoi?”
Illustrated by Serge Bloch

This book is published in Japan by arrangement with NATHAN/SEJER,
through le Bureau des Copyrights Français, Tokyo.

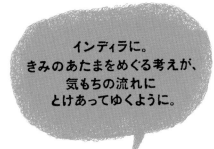

こども哲学

きもちって、なに？

文：オスカー・ブルニフィエ
絵：セルジュ・ブロック
訳：西宮かおり

日本版監修：重松清

朝日出版社

何か質問はありますか？
なぜ質問をするのでしょう？

こどもたちのあたまのなかは、いつも疑問でいっぱいです。
何をみても何をきいても、つぎつぎ疑問がわいてきます。とてもだいじな疑問もあります。
そんな疑問をなげかけられたとき、わたしたちはどうすればいいのでしょう？
親として、それに答えるべきでしょうか？
でもなぜ、わたしたちおとなが、こどもにかわって答えをだすのでしょう？

おとなの答えなどいらない、というわけではありません。
こどもが答えをさがす道のりで、おとなの意見が道しるべとなることもあるでしょう。
けれど、自分のあたまで考えることも必要です。
答えを追いかけ、自分の力であらたな道をひらいてゆくうちに、
こどもたちは、自分のことを自分で決める判断力と責任感とを身につけてゆくのです。

この本では、ひとつの問いに、いくつもの答えがだされます。
わかりきったことのように思われる答えもあれば、はてなとあたまをひねるふしぎな答え、
あっと驚く意外な答えや、途方にくれてしまうような答えもあるでしょう。
そうした答えのひとつひとつが、さらなる問いをひきだしてゆくことになります。
なぜって、考えるということは、どこまでも限りなくつづく道なのですから。

このあらたな問いには、答えがでないかもしれません。
それでいいのです。答えというのは、無理してひねりだすものではないのです。
答えなどなくても、わたしたちの心をとらえてはなさない、そんな問いもあるのです。
考えぬくに値する問題がみえてくる、そんなすてきな問いが。
ですから、人生や、愛や、美しさや、善悪といった本質的なことがらは、
いつまでも、問いのままでありつづけることでしょう。

けれど、それを考える手がかりは、わたしたちの目の前に浮かびあがってくるはずです。
その道すじに目をこらし、きちんと心にとめておきましょう。
それは、わたしたちがぼんやりしないように背中をつついてくれる、
かけがえのないともだちなのです。
そして、この本で交わされる対話のつづきを、こんどは自分たちでつくってゆきましょう。
それはきっと、こどもたちだけでなく、われわれおとなたちにも、
たいせつな何かをもたらしてくれるにちがいありません。

オスカー・ブルニフィエ

もくじ

おとうさんとおかあさんが
きみを愛《あい》してるって、
どうしてわかる？

きょうだいに、
やきもちやく？

どうして、好《す》きなのに
けんかするの？

恋《こい》をする、って、
すてきなこと？

ひとりでいるのと、
ともだちといるの、
どっちがいい？

クラスのみんなの前で、
ひとりで話すの、
こわい？

特別付録　重松清の書き下ろし掌篇「おまけの話」が本の最後についています。

おとうさんとおかあさんが
きみを愛《あい》してるって、
どうしてわかる？

おとうさんとおかあさんがきみを愛《あい》してるって、どうしてわかる？

ちゅーしてくれるから。♡

**そうだね、
でも…**

ちゅーしてくれたら、愛《あい》してるってこと？

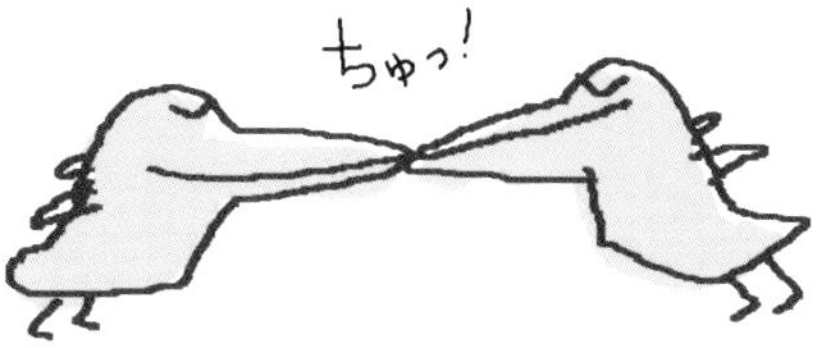

愛《あい》してたら、ちゅーばっかりしてるの？

ちゅーされたくないときだって、
あるよね？

＊この本がかかれたフランスでは、はじめて会うひとにも、あいさつがわりにほっぺにキスをします。

おとうさんとおかあさんがきみを愛《あい》してるって、どうしてわかる？

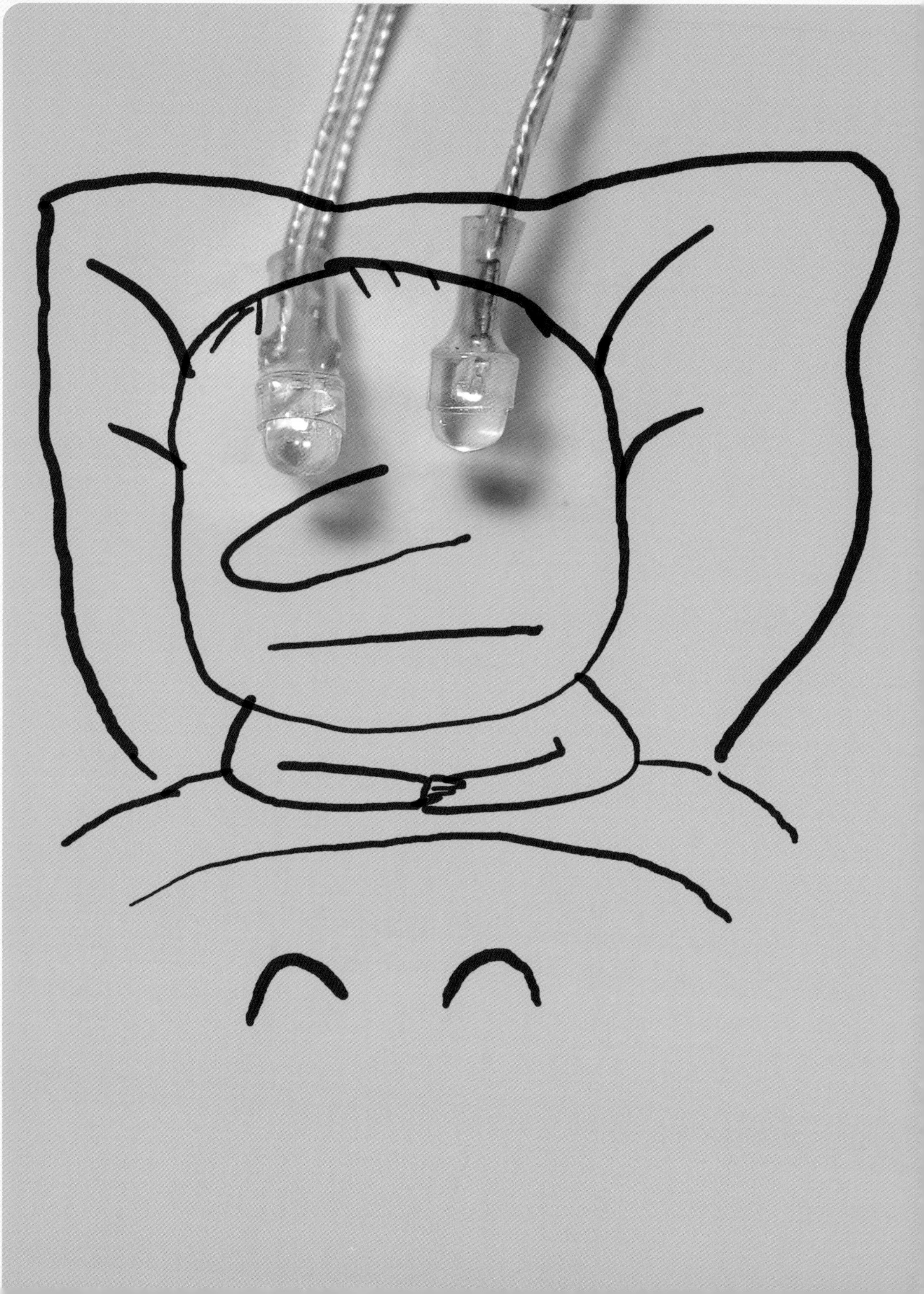

毎日ごはんつくってくれるし、びょうきになったら、おいしゃさんにつれてってくれるから。

**そうだね、
でも…**

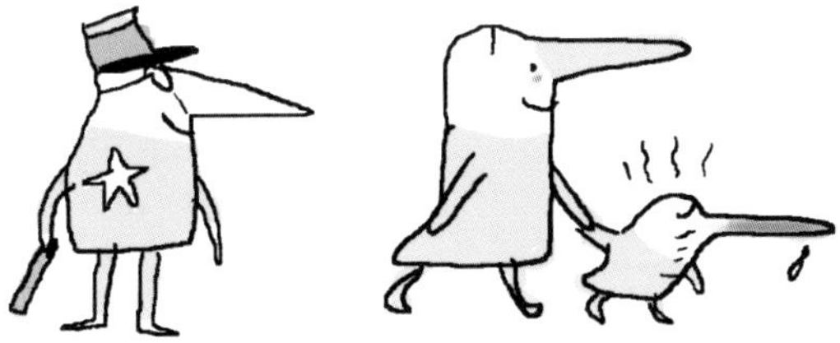

しかたなく、そうしてるんだとしたら？

そうしてあげたくてもできない親だって
いるんじゃない？

おかねがなくてそうできない親は、
こどもを愛《あい》してないってこと？

ぜったいそうなの。
ぼくのココロが
そういってる。

そうだね、
でも…

こころで感じることって、
あたまでわかることより、たしかなもの？

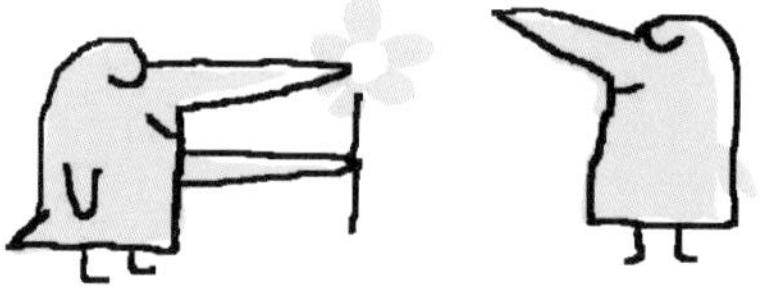

その愛情《あいじょう》のしるしが
ほしくなることって、ない？

愛《あい》されてるのに、気づかない、
そんなことって、ない？

いつも、しんぱい
してくれるから。

そうだね、
でも…

心配《しんぱい》されるのが、
うっとうしいこと、ない?

愛《あい》してるから、心配《しんぱい》するの?

きみのことほんとに信用してたら、
そんなに心配《しんぱい》するかな?

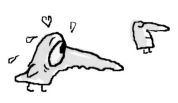

ほっといてくれないかなぁ…

おとうさんとおかあさんがきみを愛《あい》してるって、どうしてわかる？

ばかなことすると、
しかってくれるから。

そうだね、でも…

お部屋でいいこにしてなさい!

きみがかわいいから、
しかりたくなくても、
がんばってしかってるってこと？

まず、おしおき!
理由はそのあと!

しかられるより、だめだよ、って
説明してもらうほうが、よくない？

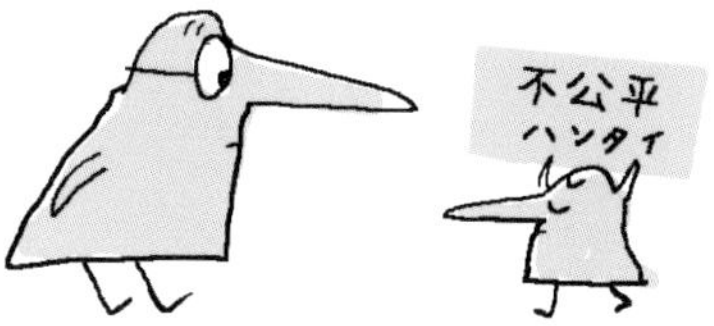
不公平
ハンタイ

こんなことでしかられるの、おかしい、
って思うとき、ない？

おとうさんとおかあさんがきみを愛《あい》してるって、どうしてわかる？

ほしいもの、なんでも買ってくれるから。

そうだね、
でも…

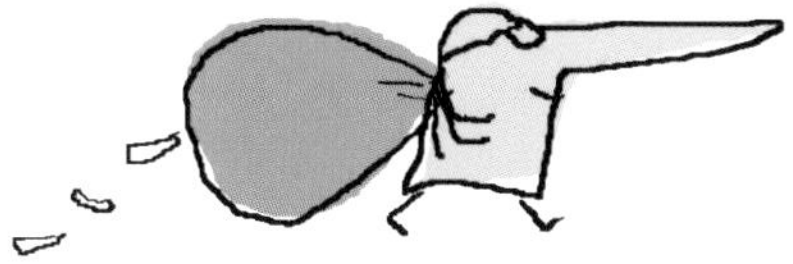

おかねで買えないものって、ない？

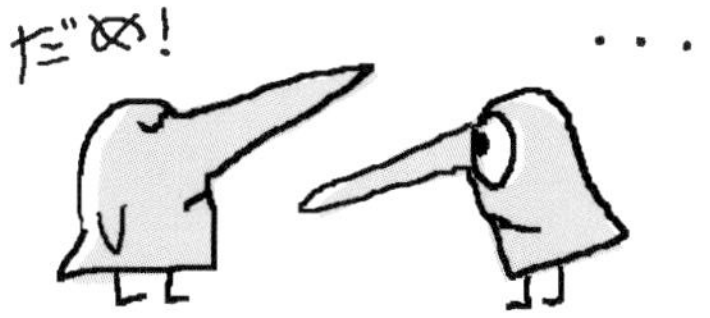

だめならだめって言えるのが、
愛《あい》してるってことじゃない？

きみのほしいものって、
ぜんぶ、きみのためになるの？

プレゼントって、
みんな、愛情《あいじょう》のしるし？

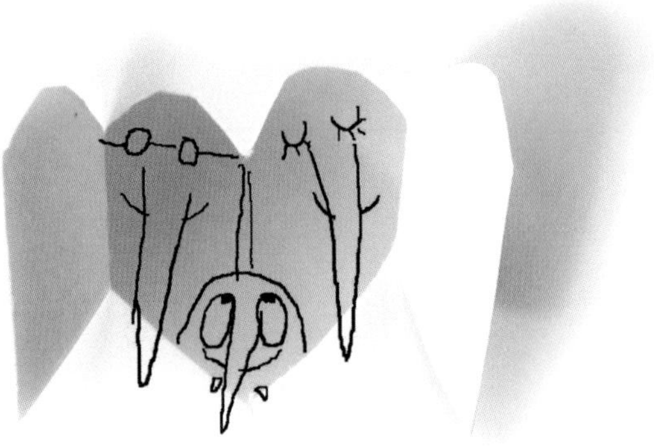

おとうさんとおかあさんは、きみを愛《あい》してる。

きみも、そのことはわかってるはずだ。
なのに、ときどき、ふっと、ほんとに愛《あい》されてるのかな、って、
ちょっぴり不安になったり、自信がなくなったりすることがある。
それで、おちこんだり、いらいらしたりする。
親の愛情《あいじょう》が必要《ひつよう》だって感じているから、
きみは、そのしるしを手に入れて、ほっとしたいんだ。

でも、やさしさとか、プレゼントとか、おしおきとか、心配《しんぱい》とか、
いろんなかたちで親が愛情《あいじょう》をしめしてくれているのに、
きみのほうがそれに気づかず、すどおりしてしまうこともある。

それは、もしかすると、きみがよくばりすぎているせいかもしれない。
それに、愛《あい》って気もちは、なぞだらけのものだから、
うっかりしてると、つかまえそこねてしまうのかもしれない。

**この問いについて
考えることは、
つまり…**

…愛情《あいじょう》のあらわし方はひとそれぞれで、
なかには愛情《あいじょう》と正反対にみえるものも
あるんだって、あたまに入れておくこと。

…親からとどく愛情《あいじょう》のしるしを、
きちんとうけとめられるようになること。

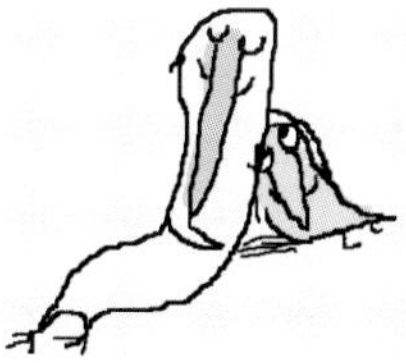

…愛《あい》されているしあわせを、
からだいっぱいに感じること。

きょうだいに、やきもちやく?

やかないよ。
すきだもん。

そうだね、
でも…

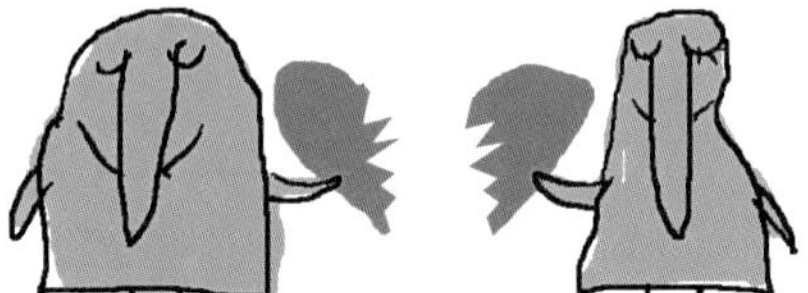

好《す》きなひととは、
なんでもわかちあいたい？

好《す》きじゃないひとには、
やきもちやくの？

きょうだいのこと、いつもだいすき？

うん。だって、ぼくが
もってないもの、もってるの、
ずるくない?

そうだね、でも…

きみしかもってないものだって、
あるんじゃない？

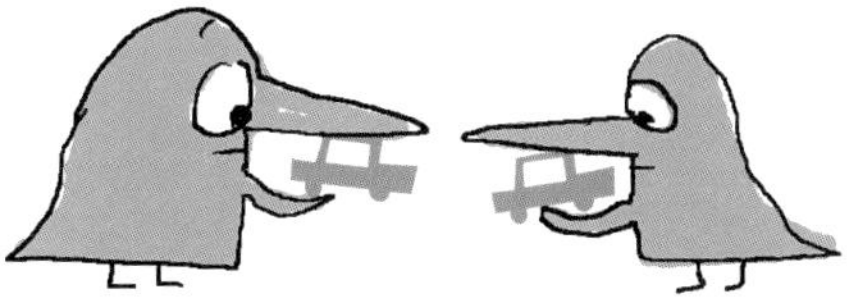

どうして、
おんなじものもってないといやなの？

自分がもってないものを
ほしいと思うのは、なんでだろう？

うん。おとうさんとおかあさんには、ぼくのことだけかまっててほしい。

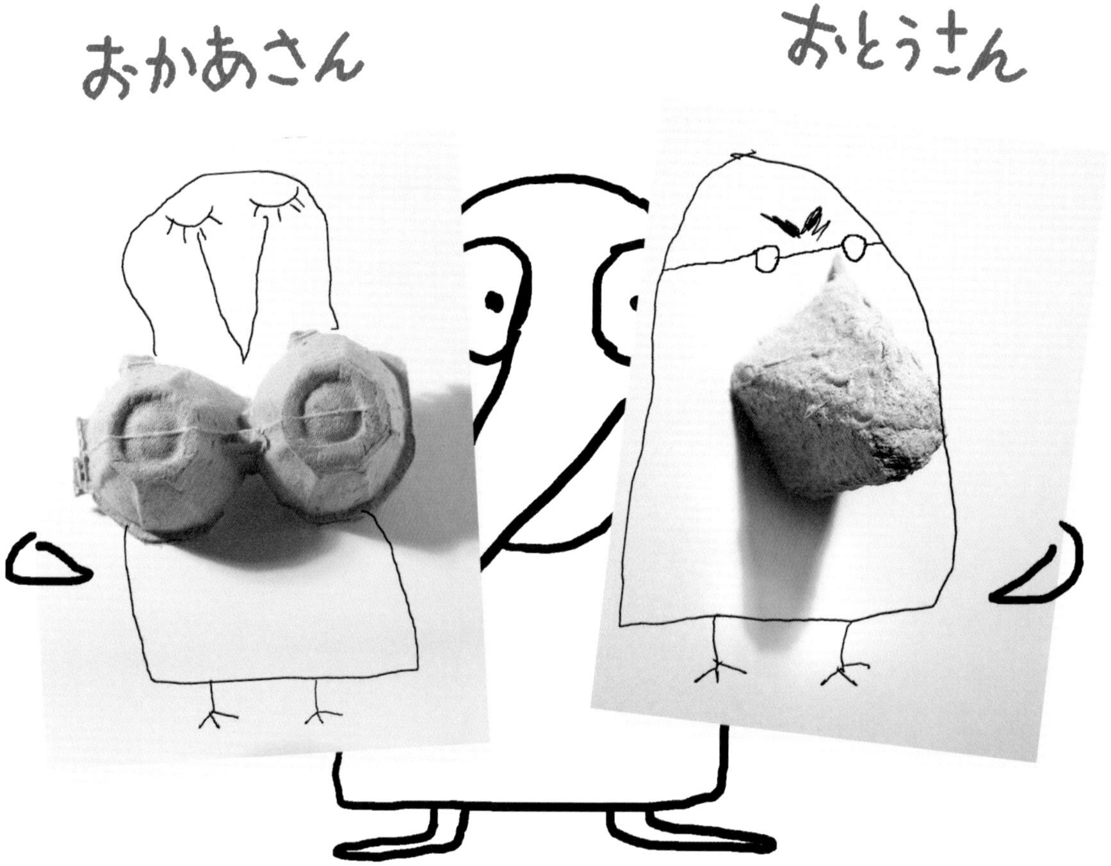

そうだね、でも…

愛情《あいじょう》って、わけあえないもの？

きょうだいがいると、
きみはかわいがってもらえなくなるの？

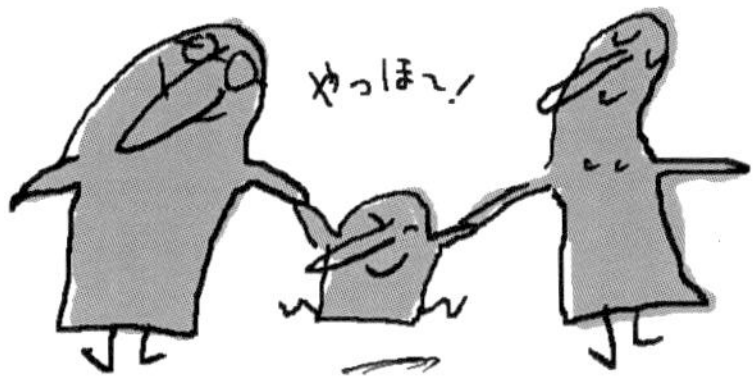

いっつも、かまっててほしい？

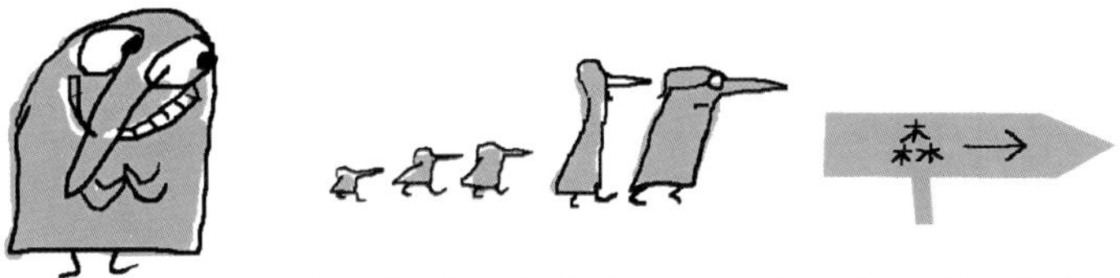

きょうだいみんな、すてられちゃえ、なんて、思う？

ううん。やきもちやくと、いやな気もちになるでしょ。

そうだね、でも…

やきもちやいて、
いい気もちになれるなら、
やきもちやくの？

いやな気もちだから、
やきもちやいちゃうのかもしれないよ。

きみのやきもちで、
いやな気もちになるのはだれだろう？
きみ？　それとも、相手？

やかない。
けんかになるから。

やきもちやいてけんかになるのも、
むりないよ、ってこと、ない？

けんかにならないように、
やきもちをぐっとおさえることって、
できるかな？

やきもちやいちゃったら、
たとえけんかになっても、
はっきり言ったほうがいいんじゃない？

愛情《あいじょう》っていうのは、すごくつよい気もちだから、

なくしてしまったらどうしよう、
そんなことになったら、もう二度ととりもどせないかもしれない、
って、ぼくらはときどき、不安になる。

そんなこと考えちゃだめだ、って、あたまではわかっていても、
つい、親が自分のことだけかまってくれればいいのに、とか、
ぼくだけをみててくれればいいのに、とか、思ってしまう。
それが、やきもちだ。
おとうとやいもうとが何かもらうたびに、
ほんとうは自分がもらえるはずだったのに、って、そんした気になってくる。
それで、ものすごく、いやな気もちになる。

でも、こう考えてみたらどうだろう。
ひととわけあえるのも、愛情《あいじょう》のすごいところのひとつじゃないか、って。

この問いについて
考えることは、
つまり…

ちゅーしてあげよっか?

…愛情《あいじょう》は、もらうだけじゃなく、
あげるものでもあるんだ、って、
こころにきざみこんでおくこと。

…きみを愛《あい》してくれるひとたちを、
信頼《しんらい》できるようになること。

…家族ひとりひとりに、
それぞれの場所があるんだ、って、気づくこと。

ぼくはこの世で
ひとりだけ。
そりゃあ、なにより。

…きみがみんなとちがうように、
きみの愛《あい》も、きみへの愛《あい》も、
だれの愛《あい》ともちがってるんだ、
って、あたまに入れておくこと。

どうして、好《す》きなのに
けんかするの？

むこうがちょっかいだして
くるから。

そうだね、
でも…

ちょっかいだされても
しかたないとき、ない？

ちょっかいだされたら、
何がなんでも受けてたつべき？

好《す》きだからちょっかいだしちゃう
ってこと、ない？

自分がちょっかいだされたらいやなのに、
どうして、ひとにちょっかいだすの？

だって、あたまにくるんだもん!

そうだね、でも…

きみをおこらせるのは、だれ?
相手? それとも、きみ自身《じしん》?

けんかすれば、気がすむの?

腹《はら》がたってるときは、
ひとりでいたほうがいいんじゃない?

ぼく、いじわるだから。

そうだね、
でも…

けんかするからいじわるなの？　いじわるだからけんかするの？

きみがほんとにいじわるだったら、
だれかを好《す》きになったりするかな？

あたまのてっぺんからつまさきまで、
とことんいじわるになんて、なれるかな？

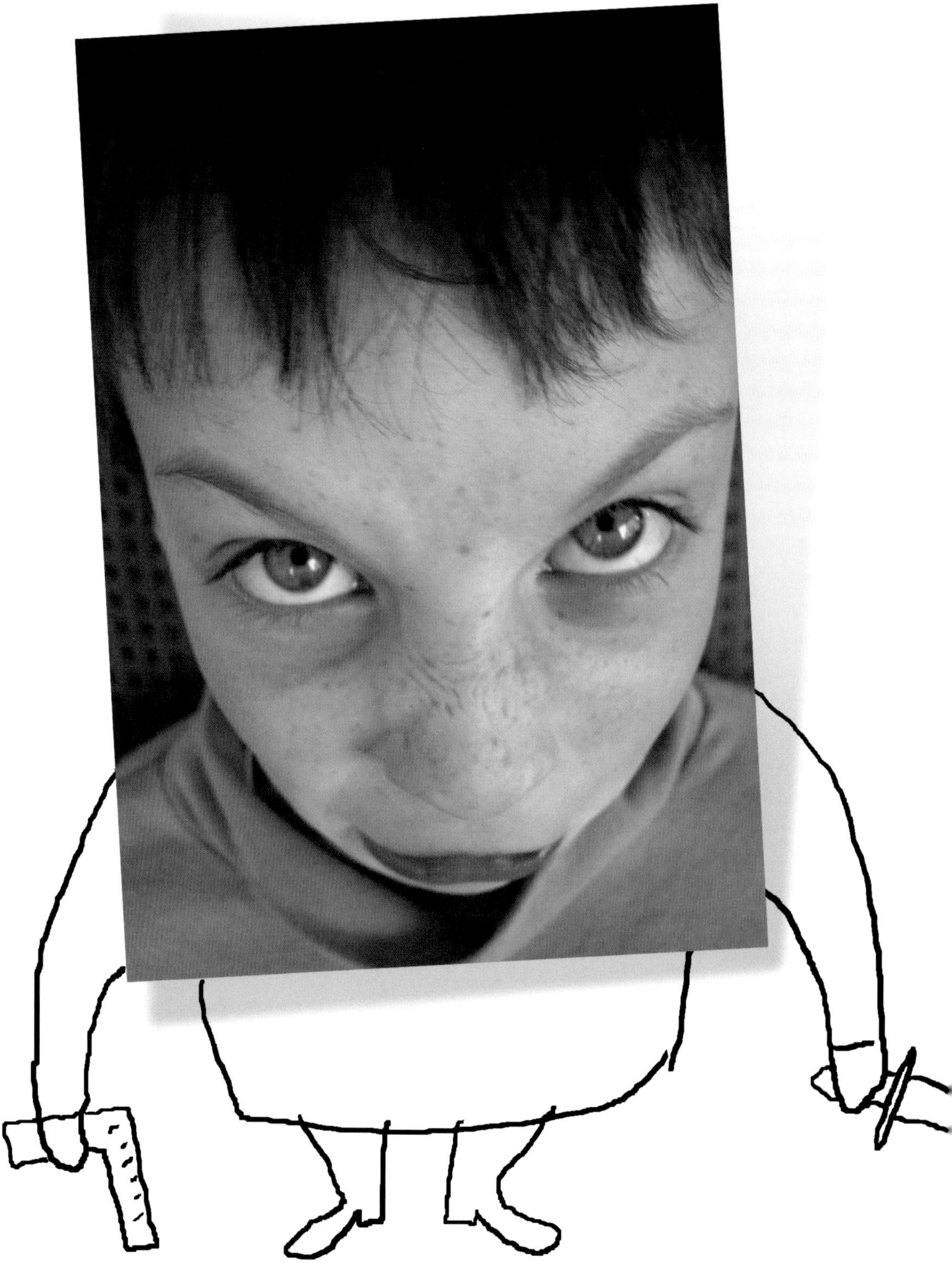

スカッとするから。

**そうだね、
でも…**

それで、きみの好《す》きな子が
いやな気もちになるとしたら？

けんかすれば、すっきりするの？

けんかも、ゲームのうち？

めんどうなことを、かたづけちゃうため！

そうだね、でも…

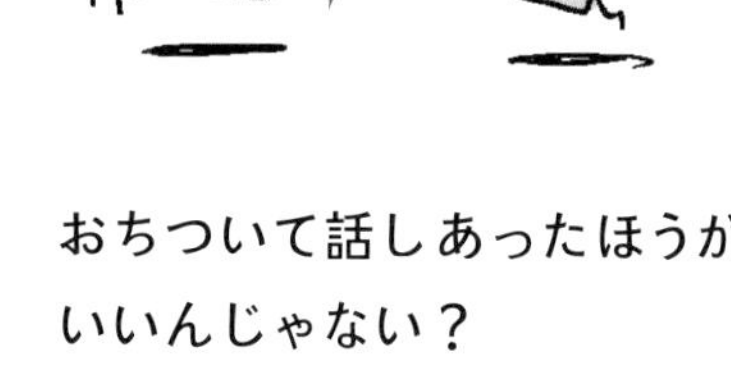

おちついて話しあったほうがいいんじゃない？

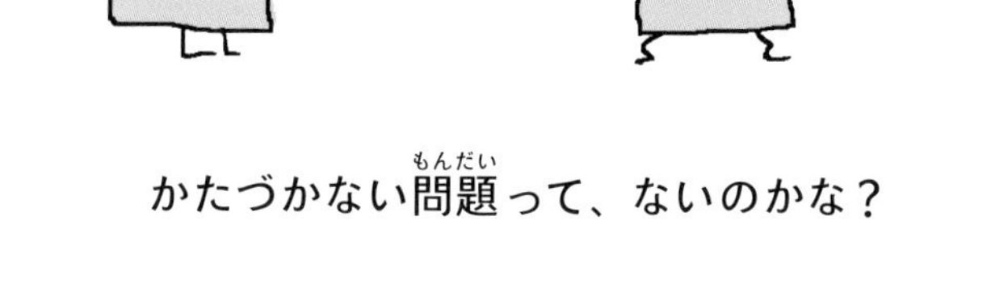

かたづかない問題《もんだい》って、ないのかな？

けんかしたせいで、
よけいめんどうになるかもよ？

けんかしてるときって、
言いたいことを、ちゃんと言えてる？

とっくみあいの大げんかになるのって、
いつもはなかよくしてる相手ともめたときだ。

なかがいいから、つい甘《あま》えて、わがまま言ってしまうのかもしれない。
いつも顔をあわせているから、なにかと目についてしまうのかもしれない。
いなくなったら、こころにぽっかり穴《あな》があいてしまうのに、
目の前にいると、ちょっとしたことが気にさわって、がまんできなくなってくる。

けんかのタネは、そこらじゅうにころがっている。
相手のすることがあたまにきたとか、考え方があわないとか、
ついちょっかいだしてみたくなったとか、けんかを売られた気がしたとか、
ほんとにいろいろだ。

でも、けんかしたからって、それで相手をきらいになるわけじゃない。
いくらなかよしでも、きみとおなじことを考えてるわけじゃない、
きみと反対の考えをもっているひともいれば、無《む》関心《かんしん》なひとだっている。
それをみとめるのは、けっこう、むずかしい。
そういうことを、ぼくらは、けんかしながら学《まな》んでゆくんだ。

**この問いについて
考えることは、
つまり…**

…すぐにかっとならないように、
どうしてけんかになるのか、よく考えること。

…きみのすることや、きみのことばが、
ひとをきずつけることもあるんだって、
こころにとめておくこと。

…ひとといっしょに生きてゆくには、
勉強《べんきょう》することがいっぱいあるんだって
あたまに入れておくこと。
だいすきな相手とでも、それはおなじ。

恋《こい》をする、って、すてきなこと？

うん。だって、
しあわせになれるでしょ。

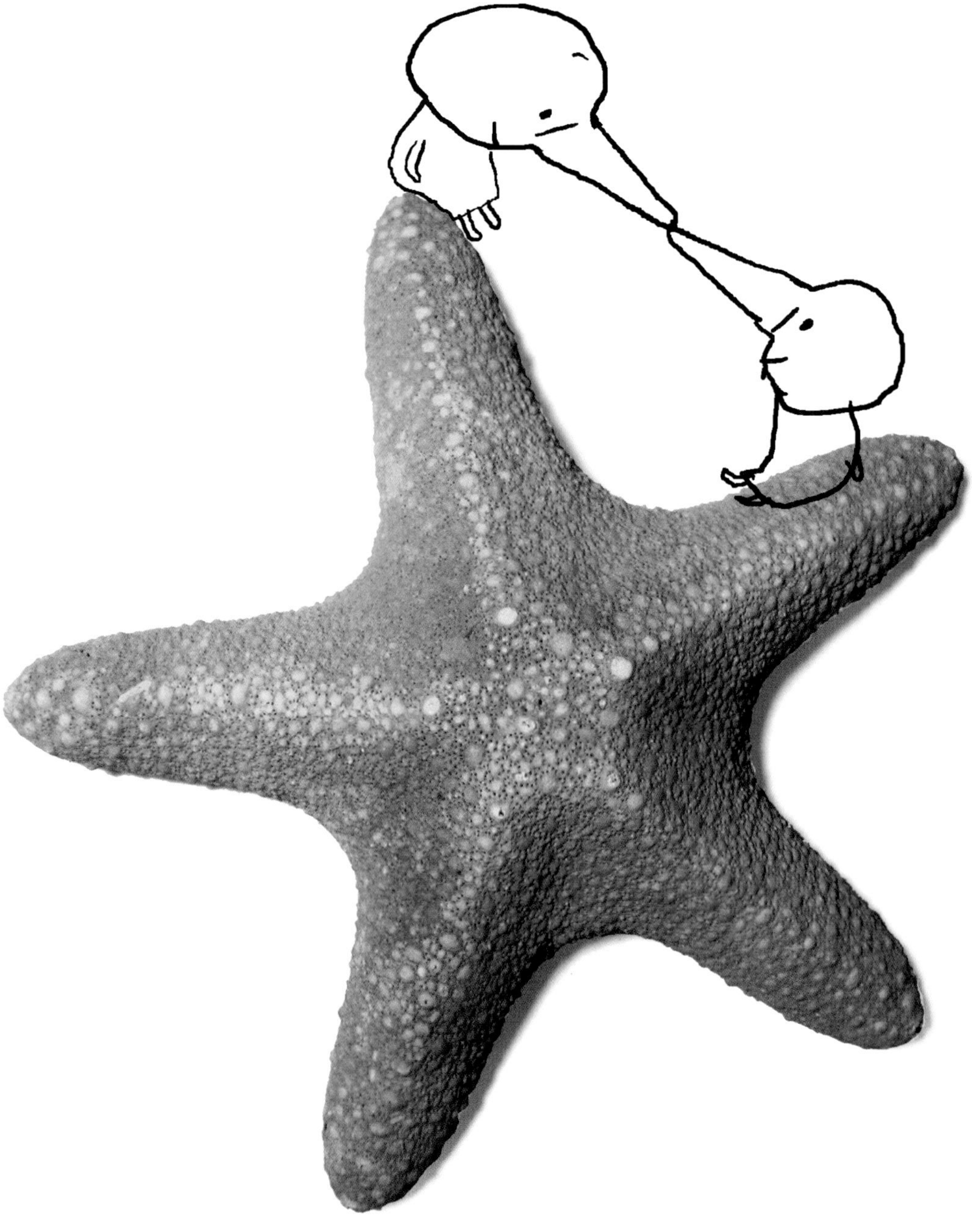

そうだね、でも…

そのしあわせって、
ひとりじゃあじわえないもの？

恋《こい》がはこんできてくれるのは、
しあわせだけ？

しあわせって、人生でいちばんたいせつなもの？

片おもいでも、
恋《こい》してれば、しあわせ？

ううん。からかわれ

そうだね、
でも…

みんなの考えと自分の考え、あてになるのはどっち？

からかうなんて、おかしいよって、言いかえしてみたら？

ちゃうもん。

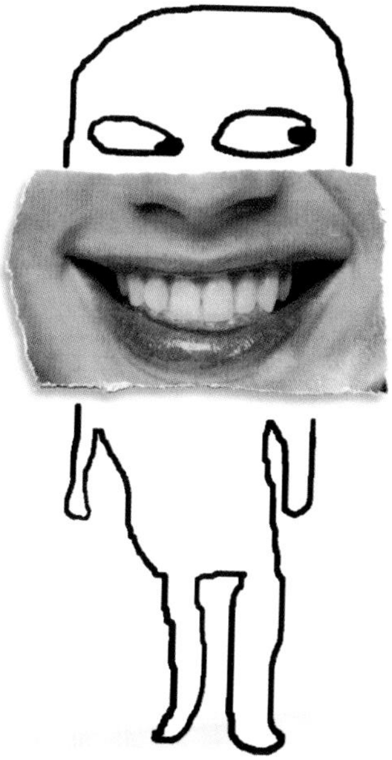

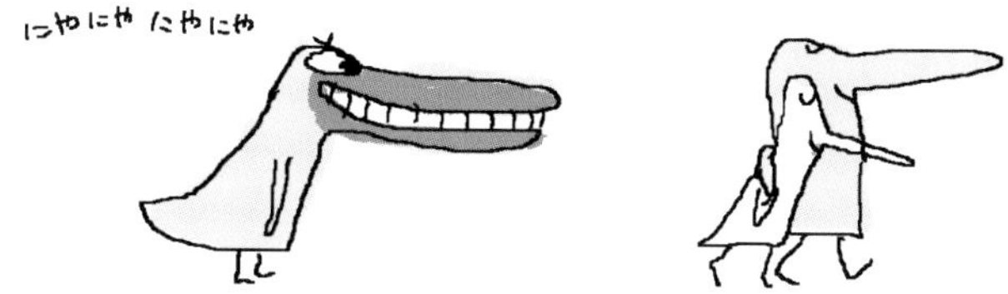

うらやましいから、からかうんじゃない？

おとうさんとおかあさんが
なかよくしてても、からかわれる？

うん。たすけ

そうだね、でも…

たすけてもらえなかったら、
好《す》きじゃなくなる？

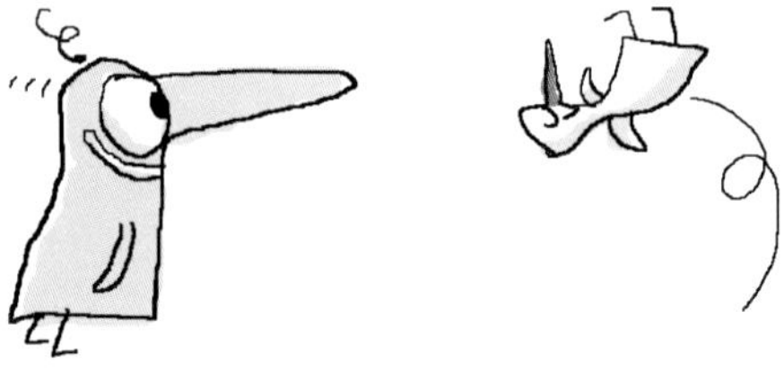

恋《こい》って、だれかを好きになること？
その子のすることを好きになること？

あえるし。

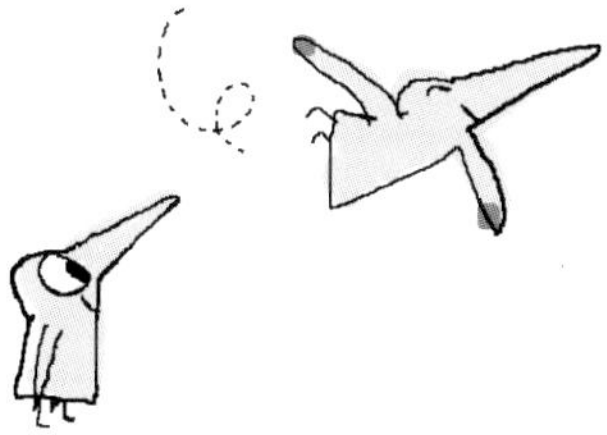

恋《こい》って、何かの役に
たたなきゃいけないもの？

恋《こい》してるときって、
助けてもらいたい？
助けてあげたい？

そうでもない。長続き
するとはかぎらないし。

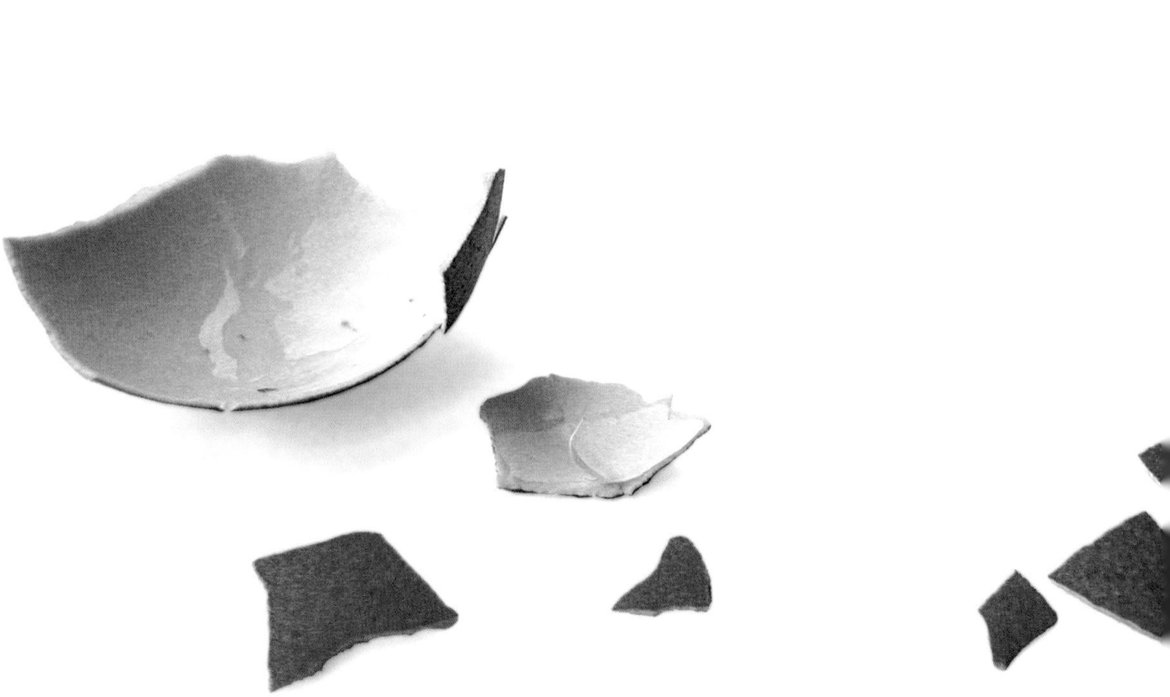

そうだね、でも…

恋《こい》が長続きするかなんて、
だれにわかる？

恋《こい》を長続きさせる方法なんて、
あるのかな？

きずつくくらいなら、
恋《こい》なんかしないほうがいい？

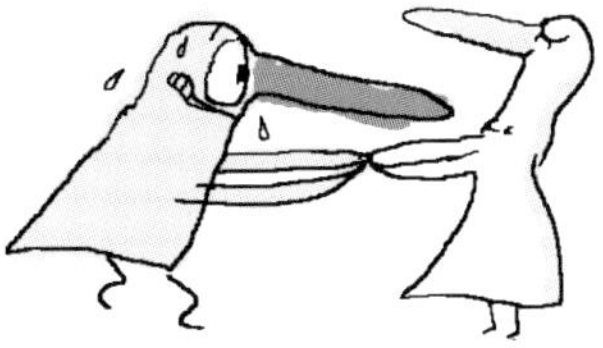

ううん。だって、とつぜん勝手にやってくるんだもん。

そうだね、でも…

したくもないのに
できるものかな、恋《こい》って？

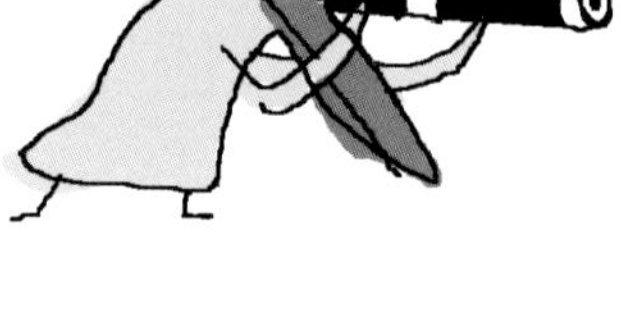

運命《うんめい》の赤い糸って、
ほんとにあると思う？

いちど恋《こい》におちたら、
ずっとそのまま、恋《こい》してられる？

恋《こい》におちるって、どんなだろう。

だれもが、うっとり夢《ゆめ》みたり、あれこれみんなと話したり、そわそわ心配《しんぱい》してみたり。
しあわせいっぱい、だけど、不安もいっぱい。
どこまでつづくかわからない、びっくりだらけの穴《あな》にとびこむようなものなんだ。
あのひとがいなくちゃ、もう生きていけない、なんてことになったら、どうしよう？
けんかになったら？　別《わか》れようって言われたら？
みんなにからかわれたら、どうしよう？

それに、恋《こい》って、しようと思ってできるものじゃない。
恋《こい》するタイミングも、相手も、ぼくらの思いどおりにはならないんだ。

恋《こい》には、ぼくらには想像《そうぞう》もつかないような力がある。
ぼくらに自分のありのままを、それも、こころのずっと奥《おく》の奥《おく》まで、
ぐっとひらいてみせてくれる、そんな力をもっているんだ。

この問いについて考えることは、つまり…

…なんでも自分で決められるなんて思わずに、
ときには、なりゆきに身《み》をまかせてみること。

…自分はどんな人間で、何をしたがっているのか、
こころの声に耳をすますこと。

…ひらべったい毎日に、小石をひとつ投げこんで、
すてきの波《なみ》をたててみること。

ひとりでいるのと、
ともだちといるの、
どっちがいい？

ひとりでいるほうがすき。そのほうが、おちつくから。

そうだね、でも…

あんまり静《しず》かだと、たいくつしない？

ひとりっきりだと、こころぼそくなったりしない？

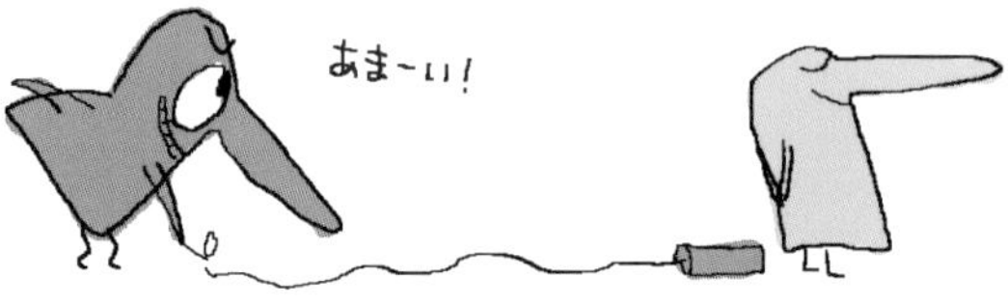

なにごともなく過《す》ごせるのが、いい人生？

考えごとするときは、
ひとりのほうがいいな。

そうだね、でも…

考えごとって、何でする？
自分の考え？　ひとの考え？

考えたことをひとにきいてもらうと、
あたまのなかが整理《せいり》されない？

もしもきみがまちがってたら、
だれがそれを教えてくれるんだろう？

あそぶときは、ともだちと

**そうだね、
でも…**

ひとりきりでも、あそべない？

ともだちって、
あそぶときだけいればいいの？

いっしょのほうがたのしいよ。

きみとあそぶ気のない子とは、
ともだちになれないのかな？

ゲームで負けても、
ともだちといっしょにいて、
たのしい？

立ち入り禁止

ひとりでいるほうがいい。ぼくのおもちゃ、だれにもかしたくないから。

そうだね、でも…

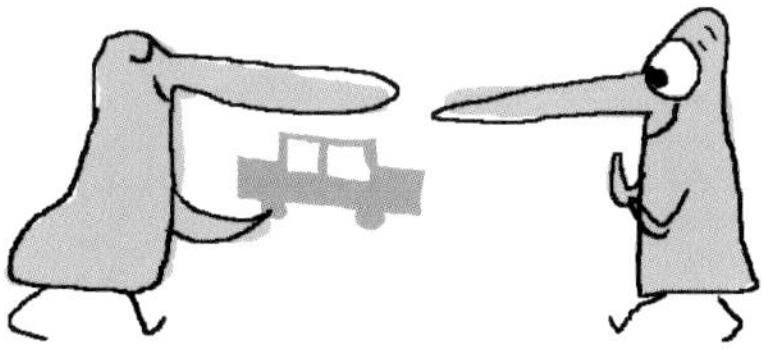

ともだちは、
おもちゃをかしてくれないの？

きみのおもちゃで、
ともだちといっしょにあそぶの、
たのしくない？

人生ゲームするときも、
ひとりのほうがいい？

ひとりでいるのと、ともだちといるの、どっちがいい？

ともだちといっしょがいい。みんなだいすきだから。

そうだね、でも…

いつでもいっしょがいい？
みんなが、きみのうちに住《す》みついちゃったら、どうする？

いっしょにいる子は
いつもおんなじ？
ころころかわったりしない？

ともだちは、ひとりでいるのが好《す》きだったら？

ともだちが、
きみの思いどおりにならなくても？
やっぱり好《す》き？

ずずぅぅぅ〜ぅ
カチッカチッカチッ
ごおぉおぉ
ぽちゃん
がらがらがらがら
しゅううう
ぴしっ
ぶごっーん
ぼりっぼりっ
ぶるるるる
がたっ
とんたんとん
からからがらから
うーぅふーぅ
たっかたっか
ちゅちゅちゅ
ぎゃっ
ぎゃっ
ぎゃっ
きゅるるるるるる
かしっ
ごとん
ぐおぉおお

ともだちといっしょがいい。ひとりぼっちはいや。

**そうだね、
でも…**

いっしょにいるとほっとできるから、
みんなのこと、好《す》きなの？

いっしょにいてくれるなら、
だれでもいいの？

ひとりでちゃんとできないのに、
みんなとうまくやってけるかな？

そっとしておいてほしい気もちと、
だれかにそばにいてほしい気もち、

ふたつのあいだで、こころがゆれることもある。
きみにとって、ともだちは、とてもたいせつな存在《そんざい》だ。
いっしょにいると、たのしいし、
だれにも言えないひみつだって、親友《しんゆう》になら、打ちあけられる。

だけど、考えがあわなくて、いらいらすることもある。
いやなことをたのまれることだって、ある。
そんなとき、きみは、ひとりのほうがいいや、って、思ったりする。
でも、そんな気もち、長くは続かない。
ひとりでいるのにあきてきて、そわそわ、部屋《へや》のなかを行ったりきたり。
なんだか、こころぼそいような気さえしてきて、だんだん、ともだちが恋《こい》しくなる。

ともだちとつきあうのも、自分自身《じぶんじしん》と向きあうのも、
はじめからすいすいできることじゃない。
いろんなことを学《まな》びながら、すこしずつ、できるようになってゆくことだ。
友情《ゆうじょう》も、そう。時間《じかん》をかけて、ゆっくりこつこつ、築《きず》き上げてゆくものなんだ。

この問いについて考えることは、つまり…

いいの？
いいよ！

…みんなにながされずに、
自分で「いいよ」って
言えるようになること。

ずっと
いっしょ！

…ともだちのたいせつさに
気づくこと。

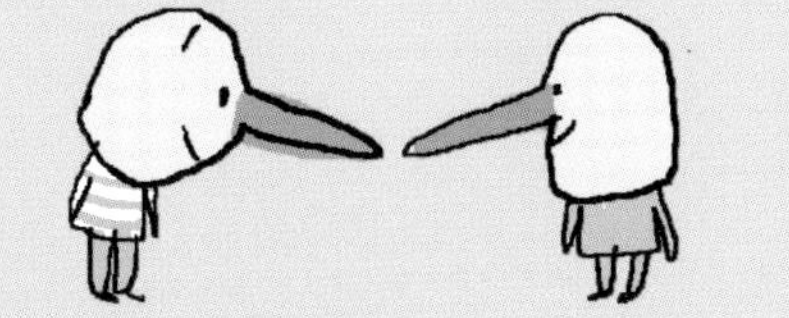
ぼくはぼく！
ぼくだって！

…きみがみんなとちがうように、
みんなもきみとはちがうんだって、
こころにとめておくこと。

みんながうれしいと、
ぼくもうれしい。

…きみは何をしてほしいのか、
きみには何ができるのか、
きちんと考えてみること。

クラスのみんなの前で、
ひとりで話すの、
こわい？

クラスのみんなの前で、ひとりで話すの、こわい？

こわくない、おもしろいよ！
おどけてみせるんだ。

**そうだね、
でも…**

おどけてみせれば、
いやな思いしなくてすむの？

ユーモアがあれば、
こわいことも、こわくなくなる？

人生って、ゲームとおなじ？

うん。みんなにみられるの…にがてだ。

そうだね、でも…

みられるのって、点数つけられるのとおなじこと？

なれるものなら、透明人間《とうめいにんげん》になっちゃいたい？

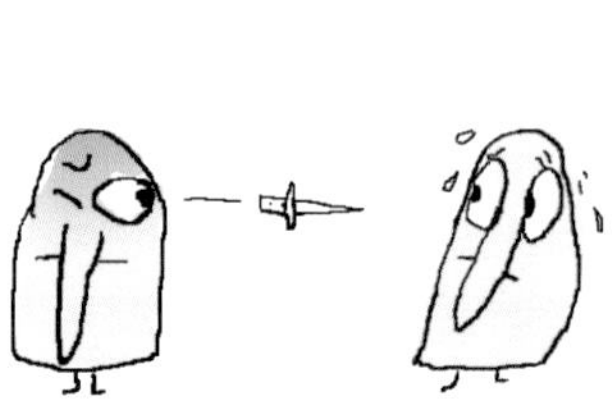

みられるのって、ちくちくいたい？

クラスのみんなの前で、ひとりで話すの、こわい？

こわいよ。だって、こっちはひとりで、みんなはおおぜいなんだもん。

そうだね、でも…

みんなだって、きみとおんなじ、
ひとりひとりは、ひとりじゃない？

ひとりでいるのって、
そんなにこわい？

みんながおおぜいだと、
きみは反対されちゃうの？

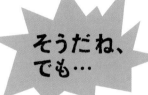

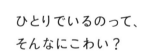

クラスのみんなの前で、ひとりで話すの、こわい?

やだ。だって、まちがったこと言って、ばかだとおもわれたら、やだもん。

そうだね、でも…

知らないことを勉強《べんきょう》するために、
学校に行ってるんじゃないの？

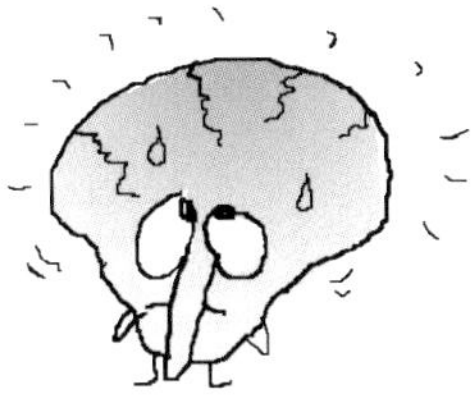

ちょこっとでも知らないことがあったら、
あたまがいいって言えないの？

カンペキじゃないと、
生きてる資格《しかく》ないの？

見た目はあたまわるそうでも、
実《じつ》はちがう、ってこと、ない？

うん。まっかっかになっちゃうし、もごもごしちゃって、しゃべれない。

そうだね、でも…

あがっちゃうと、もう、どうにもならない?

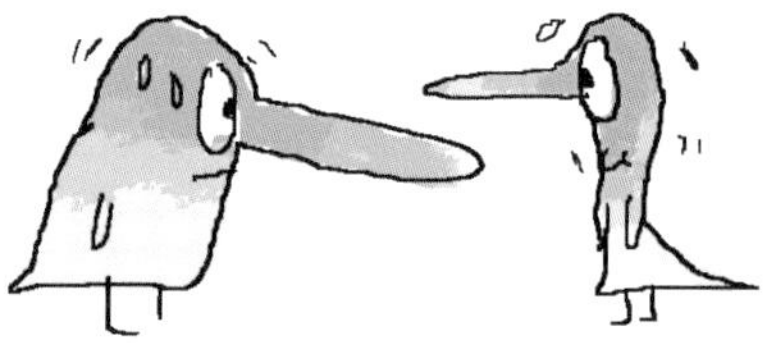

まっかになって、くちごもっちゃうのって、きみだけ?

まっかになっちゃうのって、そんなにはずかしいこと?

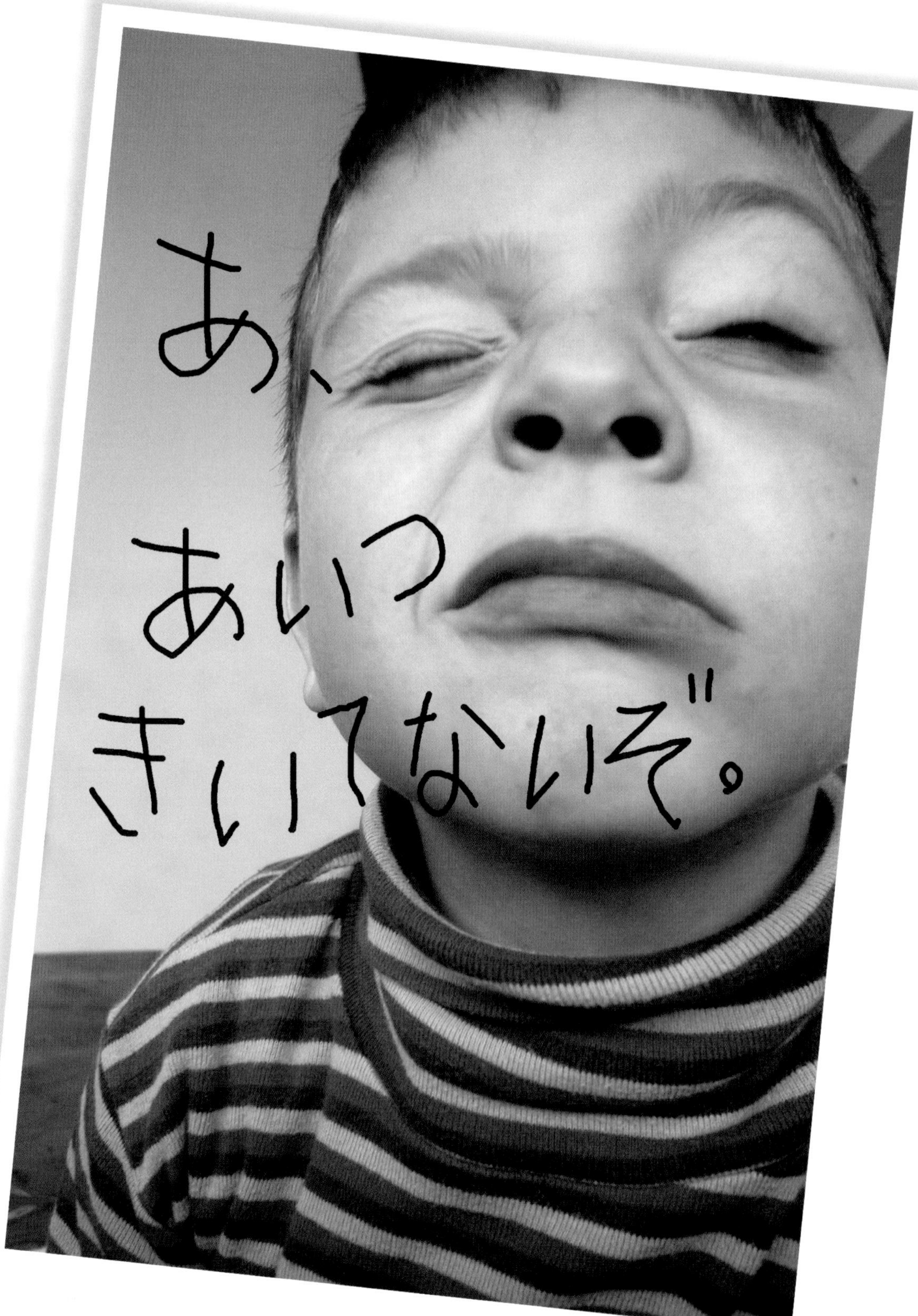
あ、
あいつ
きいてないぞ。

ううん、みんながぼくの話きいてくれると、うれしいもん。

そうだね、
でも…

話をきいてもらえるのって、みとめられてるってこと？

チュン　チュン
チュ　チュン

ひとの話をきくのも、好《す》き？

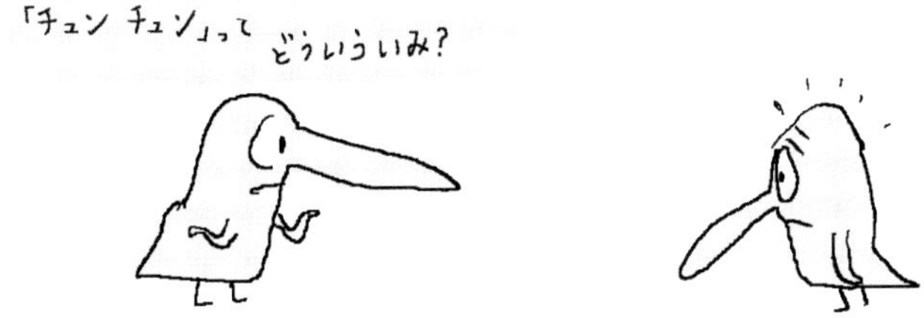
「チュン　チュン」って　どういういみ？

ちんぷんかんぷんなまま、きいてるってこと、ない？

ひとりでおおぜいの前に立つなんて、
そうよくあることじゃない。

どきどきわくわくするかもしれないし、おどおどしりごみしてしまうかもしれない。
なにしろ、ものすごい数を相手にするんだから。
たったひとりで、きみはおしつぶされそうになる。
やじだって、とんでくるかもしれない。

みんなをたのしませようと、きみは必死《ひっし》になる。
うまくわらわせられたら、その場はもりあがるかもしれない。
でも、あがっちゃって声もでない、そんなことだってあるだろう。

そんなときは、あんまりぴりぴりせず、みんなかぼちゃだと思えばいい。
それだけで、ずっと、気がらくになるはずだから。

この問いについて考えることは、つまり…

…みんなのなかでのきみの場所、
きみの役割《やくわり》をみつけること。

どうして？
なぜなら!!!

…おおぜいだとこわい感じがしてくるのはどうしてか、
考えてみること。

またやっちゃった…
そりゃね、カンペキなのは、ボクくらいよ。

…自分はカンペキじゃない、
そもそもカンペキなひとなんか
いないんだ、って、気づくこと。

つまんないよ！
いいもーん。

…みんなに気に入られなくても
いいや、って、自信をもつこと。

オスカー・ブルニフィエ

哲学の博士で、先生。おとなたちが哲学の研究会をひらくのをてつだったり、こどもたちが自分で哲学できる場をつくったり、みんなが哲学となかよくなれるように、世界中をかけまわってがんばってる。これまでに出した本は、中高生向けのシリーズ「哲学者一年生」(ナタン社)や『おしえて先生! 論理学』(スイユ社)、小学生向けのシリーズ「こども哲学」、「哲学のアイデア」、「はんたいことばで考える哲学の本」(いずれもナタン社)、「てつがくえほん」(オートルモン社)、先生たちが読む教科書『話しあいをとおして教えること』(CRDP社)や『小学校教育における哲学の実践』(セドラップ社)などなど、たくさんあって、ぜんぶあわせると35もの国のコトバに翻訳されている。世界の哲学教育についてユネスコがまとめた報告書『哲学、自由の学校』にも論文を書いてるんだ。

http://www.pratiques-philosophiques.fr

セルジュ・ブロック

セルジュ・ブロックは、1956年にフランスのコルマールでうまれた。仕事はなんですか、ってきいたら、ふたつも三つもおしえてくれた。アート・ディレクターに、雑誌や本のさし絵を描く仕事、それから、自分でも本やマンガをだしてるんだって。こどももおとなも読みたくなるような本だ。『マックスとリリ』ってマンガが大ヒットして、彼はフランス中の小学生とその親たちの人気者になった。ユーモアのある絵を描きたい、って彼は言うけど、だれがみても、その通り、うまくいってるよね。

「気もち、って、なに?」って質問してみた。彼のこたえは、こうだ。

「気もちのおかげで、ぼくら、たいくつしないですむんだよ。」

西宮かおり

東京大学卒業後、同大学院総合文化研究科に入学。社会科学高等研究院(フランス・パリ)留学を経て、東京大学大学院総合文化研究科博士課程を単位取得退学。訳書に『思考の取引』(ジャン=リュック・ナンシー著、岩波書店)、『精神分析のとまどい』(ジャック・デリダ著、岩波書店)、「こども哲学」シリーズ10巻(小社刊)などがある。

どうして、人間《にんげん》には「きもち」があるんだろう。誰《だれ》かを好《す》きだったり嫌《きら》いだったり、うれしくなったり恥《は》ずかしくなったり悔《くや》しくなったり悲《かな》しくなったりするのは、なぜなんだろう。もしも、あなたの心《こころ》から「きもち」がなくなれば、なやんだり困《こま》ったりすることって、ずっと減《へ》るんじゃないだろうか。

でも、なんの「きもち」もなく学校《がっこう》に通《かよ》ったり家《いえ》で過《す》ごしたりする毎日《まいにち》は、きっとすごく退屈《たいくつ》で、すごくつまらないだろうな。「嫌《きら》い」なものがゼロになったら気《き》が楽《らく》になるはずだけど、引《ひ》き替《か》えに「好《す》き」なものまでなくなっちゃったら——それって、幸《しあわ》せなことなのかな？

しげまつ・きよし——１９６３年生まれ。早稲田大学教育学部卒。出版社勤務を経て執筆活動に入る。ライターとして幅広いジャンルで活躍し、９１年に『ビフォア・ラン』で作家デビュー。９９年『ナイフ』で坪田譲治文学賞、『エイジ』で山本周五郎賞、２００１年『ビタミンF』で直木賞、１０年『十字架』で吉川英治文学賞、１４年『ゼツメツ少年』で毎日出版文化賞を受賞。著書に『流星ワゴン』『疾走』『きみの友だち』『青い鳥』『とんび』『希望の地図』『きみの町で』『木曜日の子ども』など多数。

んだけ、ずるーい」とも、泣《な》きながら言《い》っていた。最初《さいしょ》は――ちょっとうれしかった。心《こころ》の片隅《かたすみ》で、やーい、ざまーみろ、とミドリに自慢《じまん》していた。

でも、釣《つ》りをしているうちに、ミドリのしょんぼりした顔《かお》が波間《なみま》に浮《う》かんできた。「おい、ヤスハル、引《ひ》いてるぞ」とパパに言《い》われて、あわててリールを巻《ま》き上《あ》げると、釣《つ》り針《ばり》には魚《さかな》じゃなくて海藻《かいそう》がひっかかっていた。なーんだ、とため息《いき》をついたら、今度《こんど》はコウジのしょんぼりした顔《かお》も浮《う》かんだ。

「……ねえ、パパ。帰《かえ》りにサービスエリアに寄《よ》るでしょ？　ミドリにおみやげ買《か》っていい？」

パパは一瞬《いっしゅん》びっくりした顔《かお》になったけど、すぐにハハッと笑《わら》って「いいぞ」と言《い》ってくれた。

コウジにお詫《わ》びのおみやげってのは――ヘンだよな、やっぱり。それは、なし。でも、月曜日《げつようび》に学校《がっこう》に行《い》ったら、あいつに……あいつ、ムカつく奴《やつ》だけど、三日《みっか》に一日《いちにち》は「好《す》き」だし、あ、でも、ってことは三日《みっか》に二日《ふつか》は「嫌《きら》い」だから、トータルしたら「嫌《きら》い」になるんだけど、なんか、そういう算数《さんすう》みたいなのって違《ちが》うよな、とも思《おも》うし……。

ググッと釣《つ》り糸《いと》が引《ひ》っぱられた。リールを一気《いっき》に巻《ま》き上《あ》げると、小《ちい》さな魚《さかな》が、ピチピチ跳《は》ねながらあがってきた。

＊

らない。「絶交《ぜっこう》！」と怒鳴《どな》って、あいつの肩《かた》を突《つ》き飛《と》ばしてダッシュした。「ヤスハル！　ちょっと待《ま》てよ！」と呼《よ》ばれたけど、振《ふ》り向《む》かなかった。

走《はし》った。ランドセルの蓋《ふた》のマグネットがはずれてめくれ上《あ》がるほど、全力疾走《ぜんりょくしっそう》した。赤信号《あかしんごう》の横断歩道《おうだんほどう》まで来《き》て、やっと止《と》まると、そこに——サナエちゃんがいた。

「どうしたの？　ヤスハルくん、なんで走《はし》ってるの？」

フツーに訊《き》かれた。学校《がっこう》で話《はな》しかけてこなかったのって、たまたま、だったんだろうか。

「あのさ……」思《おも》いきって、言《い》った。「コウジがヘンなこと言《い》ったと思《おも》うけど、そんなの、嘘《うそ》だから」

サナエちゃんは、きょとんとした顔《かお》で「なに？　それ」と言《い》った。

「コウジくんがどうかしたの？」

え——？

信号《しんごう》が青《あお》に変《か》わる。ボーゼンとしたぼくは、動《うご》けない。

「じゃあね、また明日《あした》……っていうか、来週《らいしゅう》」

サナエちゃんは笑《わら》いながら手《て》を振《ふ》って、一人《ひとり》で横断歩道《おうだんほどう》を渡《わた》っていった。

土曜日《どようび》の朝《あさ》は早起《はやお》きをして、パパの車《くるま》で海《うみ》に向《む》かった。ひさしぶりにパパと二人《ふたり》で海釣《うみづ》りだ。ミドリとママはいない。まだ小《ちい》さなミドリには岩場《いわば》は危《あぶ》ないので、ママと一緒《いっしょ》に留守番《るすばん》だ。

ゆうべ、ミドリは「あたしも行《い》きたーい」と泣《な》いた。「お兄《にい》ちゃ思《おも》わず言《い》った。サナエちゃんに聞《き》かれてしまったかもしれない。違《ちが》うのに。逆《ぎゃく》なのに。そんなの嘘《うそ》なのに。あーっ、もう、サイテー……。涙《なみだ》が出《で》そうになった。

サナエちゃんは、最近《さいきん》ぼくに話《はな》しかけてこない。女子《じょし》が集《あつ》まっておしゃべりしているとき、なんだか、みんなぼくをチラチラ見《み》て、クスクス笑《わら》っているような気《き》もする。

まさか――と思《おも》った。コウジが「ヤスハルはサナエのことを好《す》きなんだ」と言《い》いふらしたのかもしれない。

あいつなら、ありうる。絶対《ぜったい》にそうだ。コウジのせいで、ひどいことになった。カッコ悪《わる》い。そんなの、もう、死《し》ぬほどカッコ悪《わる》い。ぼくはクラス委員《いいん》で、勉強《べんきょう》もクラスで一番《いちばん》で、スポーツだってわりと得意《とくい》で……そんなぼくが片思《かたおも》いをみんなに知《し》られて、しかもサナエちゃんにフラれちゃうなんて……ダメだ、絶対《ぜったい》にダメだ……。

金曜日《きんようび》。学校帰《がっこうがえ》りにコウジをつかまえて「おまえ、しゃべっただろ」と訊《き》いてみた。

コウジはすぐに「なにも言《い》ってないよ」と首《くび》を横《よこ》に振《ふ》った。

「嘘《うそ》つくなよ」

「なに言《い》ってんだよ、信《しん》じろよ、オレ、なにも言《い》ってないから」

「……だって……おまえ、嘘《うそ》つきだから」

ぼくは知《し》っている。コウジはおしゃべりだけど、嘘《うそ》はつかない。コウジを嘘《うそ》つきだと言《い》うぼくのほうが嘘《うそ》つきだ。でも、もう止《と》ま

　コウジに言《い》われた。顔《かお》が赤《あか》くなったら、「ほら、やっぱりそうだ！　当《あ》たった！」とコウジはうれしそうにガッツポーズをして笑《わら》った。声《こえ》が大《おお》きすぎる。いまはサナエちゃんは近《ちか》くにいないけど、女子《じょし》の誰《だれ》かに聞《き》こえちゃったらどうするんだ。

　コウジはおせっかいで、おしゃべりで、なんでもすぐにおもしろがって大騒《おおさわ》ぎする。「好《す》き」か「嫌《きら》い」かで分《わ》けるなら、たぶん「嫌《きら》い」。クラスの目標《もくひょう》は、ここでも守《まも》れない。

「なあ、オレがサナエに言《い》ってやろうか？　片思《かたおも》いから両思《りょうおも》いになれるかもしれないぞ」

　ぼくがカッとして「やめろよ！」と怒《おこ》った声《こえ》で言《い》うと、コウジはあわてて「ごめんごめん、ごめんっ」と謝《あやま》る。いつものことだ。コウジは、ぼくに嫌《きら》われてることを知《し》らない。だから、しょっちゅう話《はな》しかけてきて、ぼくに怒《おこ》られるとしょんぼりして、でもすぐにケロッとした顔《かお》で「ヤスハル、ヤスハル」とまとわりついてくる。

　ぼくが、はっきり「おまえのこと嫌《きら》いだから」と言《い》わないから――でも、そこまで言《い》うのって……コウジにも優《やさ》しいところはあるし、マンガの好《この》みも合《あ》ってるし、おせっかいな性格《せいかく》がたまに親切《しんせつ》になることだってあるし、三日《みっか》に一日《いちにち》ぐらいは「好《す》き」だと思《おも》ってるし……。

「おい、ヤスハル、サナエが来《き》たぞ。ひょうひょうっ」

　かんだかい声《こえ》で冷《ひ》やかされて、またカッとした。

「関係《かんけい》ないって言《い》ってるだろ、オレ、女子《じょし》なんてみんな嫌《きら》いだから！」

る行《い》き先《さき》も、たいがいミドリのリクエストどおりだ。ぼくが「えーっ、また動物園《どうぶつえん》？　たまには遊園地《ゆうえんち》にしようよ」と言《い》っても、ママは「いいじゃない、お兄《にい》ちゃんなんだから付《つ》き合《あ》ってあげなさいよ」と笑《わら》うだけ。

お兄《にい》ちゃんって損《そん》だよなあ、と思《おも》う。ママは女《おんな》の子《こ》が欲《ほ》しかったんだから、ほんとうはぼくが男《おとこ》の子《こ》だから嫌《きら》いなんだろうか……という気《き》もする。

ある日《ひ》のこと。ミドリがママに訊《き》いた。

「ねえ、ママ、あたしとお兄《にい》ちゃん、どっちが好《す》き？」

ママはにっこり笑《わら》って「どっちも好《す》きよ」と答《こた》えた。「比《くら》べようがないの。ママはどっちも大好《だいす》き」

嘘《うそ》だ嘘《うそ》だ、そんなの絶対《ぜったい》に嘘《うそ》だ。ぼくは横《よこ》から口《くち》をはさんだ。

「だったら、ぼくとミドリが二人《ふたり》いっぺんに海《うみ》でおぼれちゃったら、ママはどっちを先《さき》に助《たす》けるの？」

ママはちょっと考《かんが》えてから、「手《て》を思《おも》いっきり伸《の》ばして、いっぺんに助《たす》けてあげる」と答《こた》えた。にっこりと笑《わら》っている。でも、その笑顔《えがお》はビミョーに困《こま》っているようにも見《み》えたし、もっとビミョーに悲《かな》しんでいるようにも見《み》えた。

じゃあ、手《て》を伸《の》ばしても届《とど》かないほど二人《ふたり》が離《はな》れてたら？訊《き》きたかったけど、やめた。代《か》わりに、うつむいて、小《ちい》さな声《こえ》で「……ごめん」と言《い》うと、ママは黙《だま》ってぼくの頭《あたま》を撫《な》でてくれた。

「ヤスハルって、サナエのことが好《す》きなんじゃないの？」

ぼくは同級生《どうきゅうせい》のサナエちゃんが好《す》きだ。

それも、友《とも》だちとしてフツーの「好《す》き」じゃない。「大《だい》、大《だい》、大好《だいす》き」──オトナになったら結婚《けっこん》したいと思《おも》うほど。

でも、サナエちゃんはぼくのことをどう思《おも》ってるんだろう。ただの同級生《どうきゅうせい》の一人《ひとり》？　それとも、サナエちゃんもぼくを特別《とくべつ》に……？　わからない。だから、いつも落《お》ち着《つ》かない。サナエちゃんが別《べつ》の男子《だんし》とおしゃべりしているときには、特《とく》に。

ぼくは四年一組《よねんいちくみ》のクラス委員《いいん》だ。クラスの目標《もくひょう》を決《き》めるときの学級会《がっきゅうかい》では司会《しかい》をつとめた。満場一致《まんじょういっち》で決《き》まったのは『みんな仲良《なかよ》くしよう』──正《ただ》しい目標《もくひょう》だと思《おも》う。でも、サナエちゃんが同級生《どうきゅうせい》の男子全員《だんしぜんいん》と仲良《なかよ》くするのは、なんとなくイヤだ。サナエちゃんの仲良《なかよ》しの男子《だんし》は、ぼく一人《ひとり》でいい。ほかの男子《だんし》はみんな、あっちに行《い》け、と追《お》い払《はら》ってやりたい。

なんでだろう。なんで、そんなふうに思《おも》うんだろう。ぼくは、ひょっとしたら、すごーく身勝手《みがって》で、すごーくワガママで、すごーくイヤな奴《やつ》なんだろうか……。

ぼくには、ミドリという妹《いもうと》がいる。まだ小学校《しょうがっこう》に上《あ》がる前《まえ》のガキンチョだ。「上《うえ》が男《おとこ》の子《こ》だったから、今度《こんど》は女《おんな》の子《こ》が欲《ほ》しかったの。だから、ほんと、よかったわあ」と、ミドリが生《う》まれたあと、ママは遊《あそ》びに来《き》た友《とも》だちに言《い》っていた。だから──なのだろうか、ミドリはいつもママにかわいがられている。日曜日《にちようび》にドライブす

おまけの話

重松清

きもちって、なに？

フランスでは、自分をとりまく社会についてよく知り、自分でものごとを判断できる人になる、つまり「良き市民」になるということを、教育のひとつの目標としています。
そのため、小学校から高校まで「市民・公民」という科目があります。
そして、高校三年では哲学の授業が必修となります。
高校の最終学年で、かならず哲学を勉強しなければならない、とさだめたのは、かの有名なナポレオンでした。およそ二百年も前のことです。
高校三年生の終わりには、大学の入学試験をかねた国家試験が行なわれるのですが、ここでも文系・理系を問わず、哲学は必修科目です。
出題される問いには、例えば次のようなものがあります。
「なぜ私たちは、何かを美しいと感じるのだろうか？」
「使っている言語が異なるからといって、お互いの理解がさまたげられるということがあるだろうか？」
これらの問題について、過去の哲学者たちが考えてきたことをふまえつつ、自分の意見を文章にして提示することが求められるのです。
当たり前とされていることを疑ってみるまなざしと、ものごとを深く考えてゆくための力をやしなうために、哲学は重要であると考えられています。

編集部

こども哲学　きもちって、なに？

2006年6月10日　初版第1刷発行
2017年2月10日　初版第7刷発行
2020年4月1日　第2版第1刷発行

文　オスカー・ブルニフィエ
訳　西宮かおり
絵　セルジュ・ブロック
日本版監修　重松 清
日本版デザイン　吉野 愛
描き文字　阿部伸二（カレラ）
編集　鈴木久仁子　大槻美和（朝日出版社第2編集部）
発行者　原 雅久
発行所　株式会社朝日出版社
〒101-0065 東京都千代田区西神田3-3-5
TEL. 03-3263-3321 / FAX. 03-5226-9599
http://www.asahipress.com
印刷・製本　凸版印刷株式会社

ISBN978-4-255-01170-7 C0098